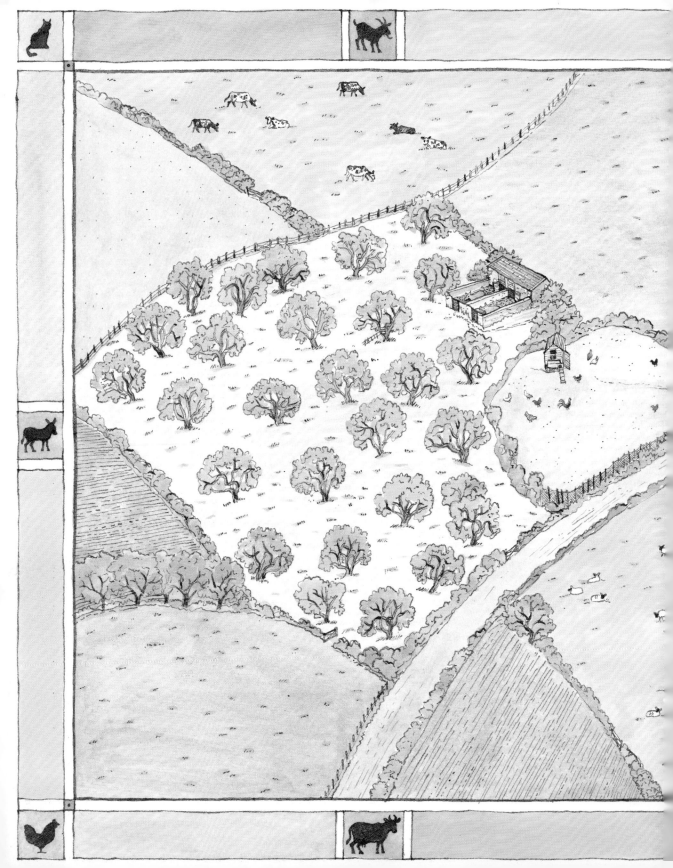

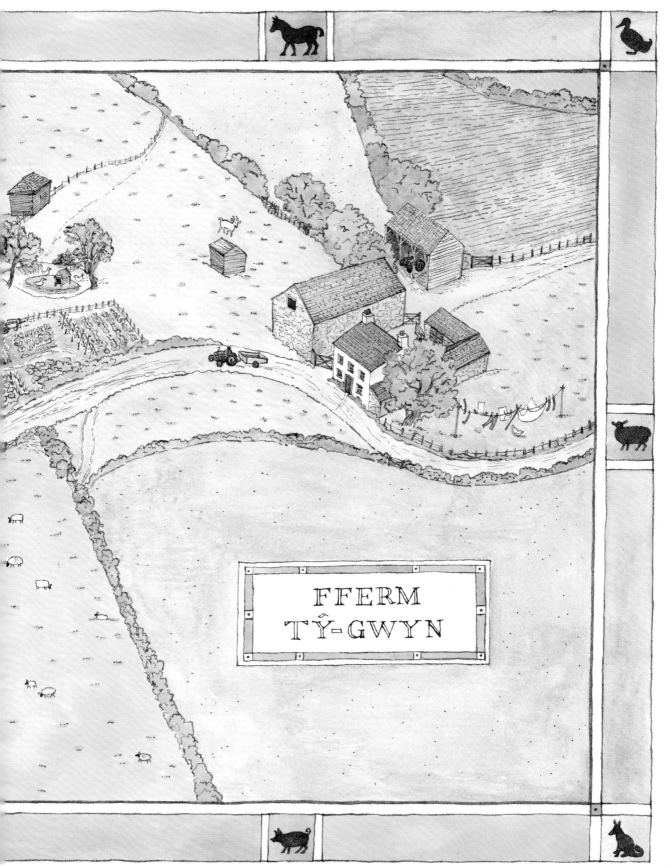

FFERM
TŶ-GWYN

Cyhoeddwyd gyntaf yn Saesneg gan Frances Lincoln Cyf
dan y teitl *Webster's Walk*.
Cyhoeddwyd yn Gymraeg gan Wasg y Dref Wen,
28 Ffordd yr Eglwys, Yr Eglwys Newydd, Caerdydd.
Argraffwyd yn Hong Kong.

FFERM TŶ-GWYN

DYFRIG
YN MYND AM
DRO

Jill Dow

DREF WEN

Ganol haf. Haul tanbaid, a dim glaw ers
wythnosau. Roedd Fferm Tŷ-gwyn yn llychlyd
a sych, a'r anifeiliaid i gyd wedi hen flino ar y
gwres.

Âi'r ieir i gysgodi dan ddail y rhiwbob, a
throdd y moch eu cafn ar ei ochr, er mwyn
ymdrybaeddu yn y dŵr.

Roedd yr hwyaid yn fwy
diflas na neb. Roedd eu
llyn wedi sychu'n grimp; ac
er bod Owen yn llenwi
twba dŵr iddynt bob dydd,
doedd hynny ddim hanner
digon.

"Rwy'n mynd i nofio yn yr afon heddiw," meddai Owen un bore, wrth lenwi'r twba. "Beth amdani, hwyaid? Ydych chi am ddod hefyd?"

Dyfrig oedd yr unig un a glywodd. Roedd y lleill yn cadw gormod o stŵr.

Trwy'r dydd bu Dyfrig yn pendroni am yr afon. Beth oedd hi? Ble'r oedd hi? Rhaid bod yno beth wmbredd o ddŵr, os oedd Owen yn disgwyl nofio ynddi.

Yna cafodd syniad . . .

Ben bore trannoeth neidiodd Dyfrig ar ymyl y
twba. "Gwrandewch, hwyaid!" meddai.
"Heddiw rwy'n mynd i chwilio am yr afon.
Pwy sy am ddod gyda mi?"

"Fi!" cwaciodd Dilwen, oedd yn dilyn
Dyfrig i bobman.

"A fi!" meddai Dilys, ffrind bennaf Dilwen.

"A ninnau!" cwaciodd y lleill bob un.

Arweiniodd Dyfrig nhw heibio i gwt y
moch . . .

a thrwy'r berllan, lle gwelson nhw'r geifr.

"Esgusodwch fi," meddai Dyfrig. "Ydych chi'n gwybod y ffordd i'r afon?"

Ond atebodd mo'r geifr. Roedden nhw'n rhy
brysur yn tynnu'r dillad o'r lein.

Yn y cae ŷd cwrddon nhw â gŵr bonheddig
anniben iawn ei olwg.

"Os gwelwch yn dda," meddai Dyfrig,
"ydych chi'n gwybod y ffordd i'r afon?"

Ond ddywedodd y bwgan brain ddim gair o'i
ben, dim ond estyn ei ddwy law i ddau
gyfeiriad gwahanol.

Roedd Dyfrig wedi drysu'n lân; ond ymlaen
yr aeth, a'r hwyaid eraill wrth ei sodlau.

Ac o'r diwedd, dacw'r afon! Yn llifo'n dawel rhwng coed uchel. Gyda CWAC o bleser, llithrodd Dyfrig i lawr y dorlan i wlychu ei draed poeth. Prysurodd y lleill ar ei ôl, a thoc roedden nhw i gyd yn chwarae yn y dŵr.

Roedd dŵr yr afon yn oer ac yn glir fel crisial — mor wahanol i ddŵr lleidiog, cynnes y llyn bach gartref.

Ac roedd y dŵr hwn yn symud! Cafodd yr
hwyaid eu cario 'mhell gan y cerrynt cyn iddyn
nhw sylwi. Gwaith trwm wedyn oedd nofio'r
holl ffordd yn ôl.

Trodd yr hwyaid gynffon i fyny i chwilio am
fwyd o dan y dŵr. Oedd, roedd 'na bob math o
bethau blasus i'w cael yno.

O bryd i'w gilydd cwrddon nhw â rhai o adar gwyllt yr afon — elyrch urddasol, crëyr glas llonydd, iâr fach yr hesg, a glas y dorlan llacha, ei liw.

Cwrddodd Dyfrig â dau aderyn tebyg iawn
iddo ef ei hun, ond bod eu plu yn frown, llwyd
a gwyrdd, yn lle bod yn wyn. Dyna lwcus yw'r
hwyaid gwylltion, meddyliodd, eu bod yn cael
byw ar yr afon.

Roedd hwyaid Tŷ-gwyn yn cael cymaint o
hwyl, welson nhw mo'r cymylau mawr du yn
lledu uwchben. Aeth pob man yn ddistaw. Yna
daeth mellten ddisglair; wedyn taranau.

Neidiodd yr hwyaid mewn braw, a rhuthro i
ymochel dan y bont. O, fel roedden nhw eisiau
bod yn ôl ar y buarth cyfarwydd! Syrthiai
dafnau anferth o law, yn gynt ac yn gynt.

Yn sydyn peidiodd y glaw a daeth yr haul allan
drachefn. Ond roedd yr hwyaid wedi cael digon
o'r afon. Heb oedi dim, dyma gychwyn tuag
adref, gan lusgo'u traed yn flinedig.

Yna pwy ddaeth heibio yn y tryc ond Mrs
Gethin, Owen, a'r ddau gi defaid, Dai a
Gwen.

"Wel, dyna chi o'r diwedd!" galwodd Owen yn
llawen. "Ble yn y byd ych chi wedi bod?"

Disgynnodd o'r tryc, a helpu'r hwyaid i
mewn dros glwyd y gwt.

Roedd yr hwyaid wrth eu bodd. Cyn pen
dim bydden nhw'n ôl ar Fferm Tŷ-gwyn!

Ac erbyn cyrraedd, wele'r llyn yn llawn dŵr
unwaith eto, ar ôl y glaw! Gyda CWAC hapus,
neidiodd yr hwyaid i mewn.

Meddyliodd Dyfrig am yr afon, a'r dŵr oer, a'r
adar gwylltion. Ond yr hen lyn oedd orau
ganddo. Nofiodd rownd a rownd a rownd, a'r
hwyaid i gyd yn ei ganlyn, nes i'r haul fachlud.

— Diwedd —